Alimentos
EL ARROZ

Louise Spilsbury

Traducción de Patricia Abello

Heinemann Library
Chicago, Illinois

First published in this edition 2003

Customer Service 888-454-2279

Visit our website at www.heinemannlibrary.com

Designed by Celia Floyd
Illustrated by Barry Atkinson
Printed and bound in the United States by Lake Book Manufacturing, Inc.

07 06 05 04 03
10 9 8 7 6 5 4 3 2 1

Library of Congress Cataloging-in-Publication Data
Spilsbury, Louise.
   [Rice. Spanish]
   El arroz / Louise Spilsbury ; traducción de Patricia Abello.
      p. cm. — (Alimentos)
   Summary: Introduces rice as a food—where it comes from, how it is grown and harvested, and how it fits into the USDA Food Guide Pyramid. Includes a recipe for rice pudding.
   Includes bibliographical references and index.
   ISBN 1-4034-3738-6 (HC), ISBN 1-4034-3744-0 (pbk.)
1. Rice—Juvenile literature. 2. Cookery (Rice)—Juvenile literature. [1. Rice. 2. Spanish language materials.] I. Title. II. Series.
TX558.R5S6518 2003
641.6'318—dc21

                                    2002191329

Acknowledgments
The author and publishers are grateful to the following for permission to reproduce copyright material:
Anthony Blake Photo Library, pp. 9, 12, 15, 20; Corbis/Tony Arruza, pp. 11, 19; Corbis/Patrick Bennett, p. 17; Corbis/Owen Franken, p. 10; Corbis/Philip Gould, p. 21; Corbis/Becky Luigart-Stayner, p.6; Corbis/The Purcell Team, p. 14; Gareth Boden, pp. 7, 23, 24, 25, 28, 29; Heather Angel, p. 16; Photodisc, p. 5, Photodisc/Jackson Vereen/Cole Group, p. 22; Tony Stone/Gary John Norman, p. 18, Tony Stone/John Midgley, p. 8; Trip/W. Jacobs, p.4.

Cover photograph reproduced with permission of Photodisc.

Every effort has been made to contact copyright holders of any material reproduced in this book. Any omissions will be rectified in subsequent printings if notice is given to the publisher.

Unas palabras están en negrita, **así**. Encontrarás el significado de esas palabras en el glosario.

Contenido

¿Qué es el arroz?

El arroz es un alimento muy importante para más de la mitad de los habitantes del mundo. Mucha gente de Asia come arroz dos o tres veces al día.

El arroz es un **cereal.** Es de la **familia** de las hierbas. Los **granos** de arroz que comemos son las **semillas** de la planta de arroz.

granos de arroz

5

Clases de arroz

Hay dos clases principales de arroz: de **grano** largo y de grano corto. El arroz de grano corto es pegajoso cuando se cocina. Con este arroz se hace un plato italiano llamado risotto.

El arroz de grano largo queda separado al cocinarse. Muchos platos se hacen con arroz de grano largo, como este plato de arroz llamado pilaf.

En el pasado

El arroz se cultiva y se come en Asia desde hace 5,000 años. Se cree que en Bali construyeron estas **terrazas** para cultivar arroz hace más de 2,000 años.

El arroz se almacenaba en graneros especiales. Estos graneros se hicieron para complacer a los **dioses** del arroz. Se creía que los dioses del arroz darían una buena cosecha.

Alrededor del mundo

Casi todo el arroz de Asia es para la gente local. El arroz que sobra se vende a compañías locales.

También se cultiva mucho arroz en los Estados Unidos y Australia. La mayor parte de ese arroz se **exporta** a otros países.

Una mirada al arroz

El **tallo** de la planta de arroz es hueco como un popote. Chupa el agua de las **raíces,** que se siembran en el agua. Las **espiguillas** que hay en la punta de la planta contienen los **granos** de arroz.

espiguillas

tallo

El arroz integral es el grano después de quitarle la **cáscara.** Cuando también se le quitan las capas de **afrecho,** queda arroz blanco.

Un grano de arroz

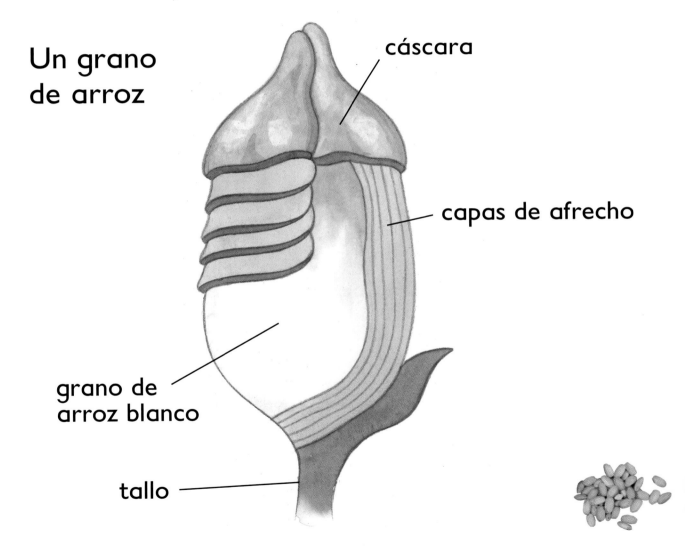

cáscara

capas de afrecho

grano de arroz blanco

tallo

Sembrar arroz

En casi todo Asia, las **semillas** de arroz primero se siembran en **semilleros**. Después, las pequeñas plantas se vuelven a sembrar a mano en arrozales o **terrazas.**

En los Estados Unidos y en Australia
las semillas de arroz se siembran
desde aviones que pasan sobre
los campos.

Cómo crece el arroz

Las plantas de arroz crecen mejor
cuando tienen las **raíces** bajo el agua.
En muchos países de Asia las lluvias del
monzón inundan los campos de arroz.
El agua se contiene con muros de barro.

En países como los Estados Unidos y Australia, no llueve tanto tiempo. Se bombea agua con máquinas a los campos para que el arroz crezca.

La cosecha de arroz

Cuando el arroz está listo, dejan salir el agua. En unas partes cortan las plantas a mano. Después sacuden los **tallos** para desprender los **granos.**

En otros lugares, hay máquinas
que hacen el trabajo. Gigantescas
cosechadoras cortan las plantas.
También separan el grano de los tallos.

19

Procesar el arroz

Después de secar los **granos** al sol, en unas partes los aplastan para aflojar la dura **cáscara.** Después lanzan los granos al aire para que las cáscaras se desprendan.

En otros lugares, unas máquinas le quitan la cáscara a los granos con unos rodillos grandes. Para el arroz blanco, una máquina frota los granos para quitarles la capa de **afrecho.**

21

Modos de comer arroz

El arroz se puede comer de muchas maneras. Podemos comerlo caliente o frío, en pasteles y postres, solo o con carnes o verduras. En Japón, se preparan platos como este sushi.

El arroz también se usa para hacer otros alimentos. Unas máquinas inflan los **granos** de arroz para hacer un cereal muy popular para el desayuno.

Bueno para la salud

El arroz es un **carbohidrato**. Ésta es una clase de alimento que da energía. Necesitamos **energía** para todo lo que hacemos.

El arroz integral es mejor para la salud que el arroz blanco. La capa de **afrecho** contiene **vitaminas** y **fibra**. Estos **nutrientes** son saludables.

Una alimentación sana

La **pirámide** de alimentos muestra cuánto debemos comer a diario de cada grupo de alimentos.

Todos los grupos de alimentos son importantes, pero necesitamos más ciertos alimentos que otros.

Debemos comer más alimentos de la parte de abajo y de la mitad de la pirámide. Debemos comer menos alimentos de la parte de arriba.

El arroz está en el grupo de los **granos.** Necesitamos seis porciones de granos al día.

Grasas y dulces
Comer poco

Grupo de leche
2 porciones

Grupo de carnes
2 porciones

Grupo de
vegetales
3 porciones

Grupo
de frutas
2 porciones

Grupo de granos   6 porciones

Basada en la Pirámide Infantil de Alimentos del Departamento
de Agricultura, Centro de Difusión de Nutrición, marzo 1999.

Receta de arroz con leche

1. Engrasa un plato
   de hornear
   con la mantequilla.

2. Echa el arroz.

Vas a necesitar:
- un poquito de
  mantequilla
- 3 cucharadas
  de arroz
- 3 cucharadas
  de azúcar
- 4 tazas (1,200 ml)
  de leche
- ½ cucharadita
  de canela

¡Pídele a un adulto
que te ayude!

28

3. Añade los demás ingredientes y revuelve.

4. Cocina en el horno de 2 ½ a 3 horas a 325°F (170°C). Revuelve a menudo.

Glosario

afrecho capa delgada café que hay entre la cáscara y la semilla de una planta de cereal

carbohidrato parte de un alimento que el cuerpo usa para obtener energía

cáscara cubierta seca de una semilla

cereal planta tal como trigo, centeno, maíz y arroz que se usa para hacer alimentos como harina, pan y cereales para el desayuno

cosechadora máquina agrícola que corta plantas de cereal, como arroz, y separa el grano de los tallos

dios ser que se cree que tiene gran poder sobre la vida de los seres humanos

energía fuerza suficiente para hacer cosas

espiguilla punta de la flor de una planta que contiene las semillas

exportar mandar algo a otro país para venderlo

familia grupo de plantas o animales que se parecen

fibra parte de una planta que pasa a través del cuerpo cuando la comemos

grano semilla de una planta de cereal

grasa parte de algunos alimentos que el cuerpo usa para producir energía y mantener el cuerpo caliente

monzón estación lluviosa en algunas partes del mundo

nutriente alimento que necesitan las plantas y personas para crecer y estar sanos

pirámide figura que tiene una base plana y tres lados que terminan en punta

raíz parte de la planta que crece en la tierra y toma agua y nutrientes

semilla parte de una planta que puede crecer y convertirse en una nueva planta

semillero tierra fina donde se siembran semillas juntas hasta que salen las plantitas

tallo parte de la planta que sostiene las hojas y el fruto

terraza espacio plano en el lado de una montaña que se usa para sembrar

vitamina algo que necesita el cuerpo para crecer y estar sano

Más libros para leer

Whitehouse, Patricia. *Las semillas*. Chicago: Heinemann Library, 2002

Un lector bilingüe puede ayudarte a leer estos libros:

Denny, Roz, *Rice*. Chicago: Heinemann Library, 1998.

Robson, Pam. *Rice*. Danbury, Conn.: Children's Press, 1998.

Índice